Le chiffre trois

Texte de Jane Belk Moncure
Adaptation française de Chrystiane Harnois
Illustrations de Linda Hohag

THE CHILD'S WORLD

VERSION FRANÇAISE © 1994 THE CHILD'S WORLD, INC.
Version originale anglaise © 1985 The Child's World, Inc.
Distribué au Canada par Grolier Limitée. Tous droits réservés.
Aucune partie de cet ouvrage ne peut être reproduite
sans l'autorisation écrite des éditeurs.

ISBN 0-7172-3092-9

Dépôt légal 4e trimestre 1994
Bibliothèque nationale du Québec

Imprimé aux États-Unis

Le chiffre trois

Voici Petite

Elle vit dans la maison du trois.

La maison du trois a trois pièces.
Compte-les.

Elle a trois fenêtres,
et trois jardinières suspendues.

Chaque jour, Petite  part en promenade.

Elle fait trois bonds. Peux-tu le faire aussi?

Un jour, Petite  trouve trois petits cochons, mais...

ils sont tristes.

«Nous avons perdu
nos maisons»,
disent-ils.

«Trouvons-en d'autres!» répond Petite

Petite  trouve une maison de paille

pour le premier
petit cochon.

Le cochon grogne trois fois.
Peux-tu le faire aussi?

Petite  trouve une maison de bois...

pour le deuxième cochon.

Elle doit trouver combien d'autres maisons?

Petite  trouve une maison

de briques...

pour le troisième
cochon.

Il frappe trois fois dans ses mains.
Peux-tu le faire aussi?

Les trois petits cochons sont si heureux,

qu'ils se mettent à danser.

Ensuite, Petite  trouve trois ours.

Les trois ours sont tristes.

«Nous avons perdu nos chaises» disent-ils.

Alors Petite

trouve une petite chaise pour bébé ours...

une moyenne chaise pour maman ours...

et une GRANDE CHAISE pour papa ours.

Combien de chaises a-t-elle trouvées?

Les trois ours sont si heureux!
Un danse, un joue du tambour,

et un joue de la trompette.

Petite  fait trois bonds.

Peux-tu le faire aussi?

Elle trouve un petit bouc, puis...

elle en voit deux autres.

Combien y a-t-il de boucs en tout?

Petite  trouve trois pommes...

pour les trois boucs.

Puis les trois boucs s'en vont —

en traversant le pont.

Ensuite, Petite  trouve trois souris.

Les trois souris sont tristes, car elles
ne voient pas très bien.

Alors Petite  les emmène chez...

l'oculiste.

Elle leur achète des lunettes.
Combien de paires a-t-elle achetées?

Les souris sont si heureuses que la première se tient sur la tête,

la deuxième bondit de joie

et la troisième joue du violon.

Petite  sait jouer du violon.

Pendant qu'elle joue, les trois souris dansent.
Un, deux, trois. Un, deux, trois.

Petite  trouve un...

gâteau d'anniversaire et trois bougies.

Petite  dit, «C'est mon anniversaire.»

Elle souffle sur les bougies.

Un, deux, trois.

Petite coupe le gâteau en...

trois morceaux.

Un, deux, trois.

Puis, elle mange deux morceaux de gâteau.

Devine quoi? Elle en a laissé
un morceau pour toi!

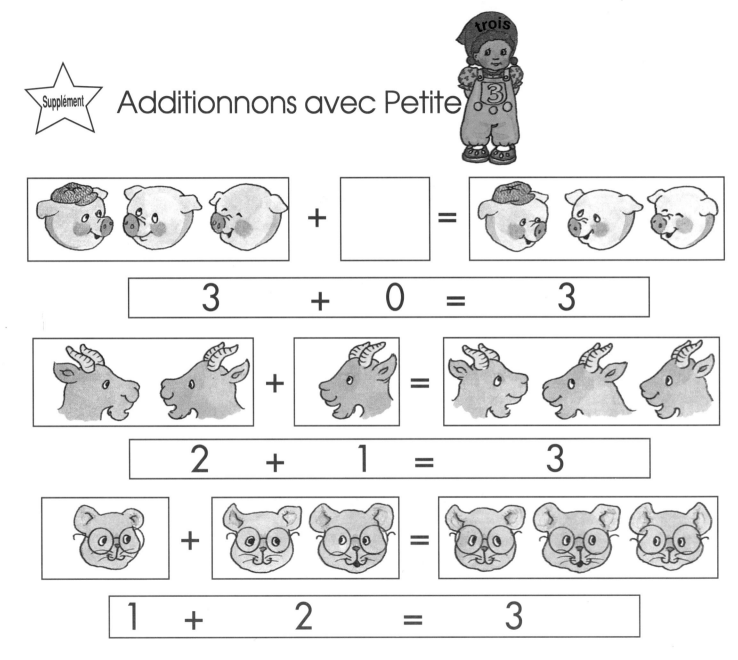

Supplément

Additionnons avec Petite

$$3 + 0 = 3$$

$$2 + 1 = 3$$

$$1 + 2 = 3$$

Soustrayons avec Petite

$$3 - 1 = 2$$

$$3 - 2 = 1$$

$$3 - 3 = 0$$

«Regarde, je sais écrire», dit Petite

Elle fait le chiffre 3 de cette façon:

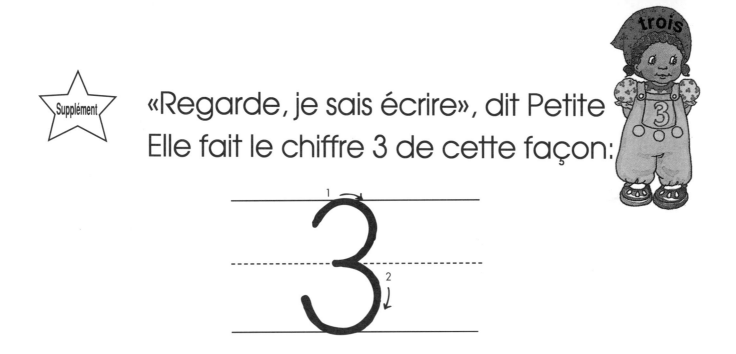

Puis elle écrit le chiffre en lettres comme ceci:

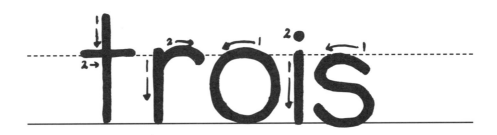

Tu peux les écrire dans l'air avec ton doigt.